아서 스타터 워크북 07

아서의 깜짝 생일 선물

글·그림 마크 브라운

롱테일북스

등장인물

D.W.

메리 무 카우를 좋아하는 아서의 여동생. 아서를 괴롭히는 게 취미이다.

티블 쌍둥이

D.W.의 쌍둥이 친구. 토미는 빨간 스카프를, 티미는 파란 스카프를 하고 다니는 것이 특징이다.

엄마

아서의 엄마. 회계사로 언제나 바쁘게 일한다.

메리 무 카우

D.W.가 가장 좋아하는 TV 프로그램의 주인공.

팔

아서 가족의 반려견. 사고뭉치이지만 아서를 잘 따른다.

Contents

본 워크북에 담긴 한국어 번역의 페이지는 영어 원서의 페이지와 동일하게 유지했습니다.
영어 원서를 읽다가 이해가 가지 않는 부분이 있다면, 워크북의 같은 페이지를 펼쳐 보세요! 궁금한 부분의 번역을 쉽게 확인할 수 있습니다.

영어 원서를 100 단어 기준으로 총 네 개의 파트로 나누어, 각 파트별로 다양한 액티비티를 담았습니다. 재미있게 영어 원서를 읽고 액티비티를 풀어 나가다 보면 영어 실력도 쑥쑥 향상될 것입니다!

부록으로 제공되는 MP3 CD에는 '듣기 훈련용 오디오북'과 '따라 읽기용 오디오북'의 두 가지 오디오북이 담겨 있습니다.
'듣기 훈련용 오디오북'은 원어민 전문 성우가 녹음한 오디오북으로 재미있는 효과음이 곁들여져 원서의 내용을 실감나게 이해하도록 도울 것입니다.
'따라 읽기용 오디오북'은 초보 학습자들을 위한 오디오북으로 효과음을 제거하고 조금 더 천천히 녹음한 것으로 학습용으로 사용하기에 유용할 것입니다.

D.W.의 생일이었습니다. 그녀의 파티가 막 시작되려고 했습니다.

“풍선을 더 많이!” D.W.가 명령했습니다.

“네, 공주님.” 아빠가 말했습니다.

“리본 장식도 더 많이!” D.W.가 요구했습니다.

“리본 장식도 더 많이 달아 *주세요*, 라고 해야지.”

엄마가 그녀에게 주의를 주었습니다.

딩-동!

“내 손님들이야!” D.W.가 외쳤습니다. 그녀는 현관으로 뛰어갔습니다.

“생일 축하해, D.W.!” 에밀리가 말했습니다.

티블 쌍둥이가 바로 그녀의 뒤에 있었습니다.

“케이크는 어디에 있어?” 토미가 물었습니다.

“아이스크림은 어디에 있어?” 티미가 물었습니다.

“우리는 언제 먹어?” 그들이 같이 물었습니다.

“사랑하는 D.W., 생일 축하합니다!” 모두 노래를 불렀습니다.

D.W.가 그녀의 촛불을 불었습니다. 그녀는 자기 몫의 케이크를 먹었습니다.

그녀는 자신의 선물들도 풀어 보았습니다.

하지만 내내, 그녀는 계속 창밖을 내다보았습니다.

“너 무엇을 기다리는 거야?” 토미가 물었습니다.

“그건 깜짝 선물이야.” D.W.가 말했습니다. “조금 늦어진 깜짝 선물이지.”

바로 그때, 전화가 울렸습니다.

“여보세요?” 아빠가 말했습니다. “오, 이런. . . 알겠어요. . . 그럼 이만.”

“무슨 일이에요?” D.W.가 물었습니다. “무슨 문제 있어요?”

“안타깝지만 메리 무 카우가 올 수 없다고 하는구나.” 아빠가 말했습니다.

“그녀는 배가 아프다고 하네.”

“*배들을* 말하시는 거죠.” 에밀리가 말했습니다. “아시다시피, 소는 위가 4개나 있잖아요.”

"와, 메리 무 카우가 있었다면 좋았을 텐데." 티미가 말했습니다.

"난 그녀가 실제로도 보라색으로 보이는지 궁금한걸."

"이제 우리는 절대 모를 거야." 토미가 한숨을 쉬었습니다.

“내 파티는 망했어!” D.W.가 투덜거렸습니다.

“아니, 그렇지 않단다!” 아빠가 말했습니다. “우리 게임을 하자.

당나귀 꼬리 달기 게임은 어떠니?

재미있지 않겠니?”

“꼬리가 여기 어디에 있을 텐데.” 아빠가 중얼거렸습니다.

“저것 봐!” 에밀리가 소리쳤습니다. “메리 무 카우야!”

“저는 당신이 못 올 거라고 생각했는데요.” D.W.가 말했습니다.

“나는 기적적인 회복을 했단다.” 메리 무 카우가
끽끽거리는 목소리로 대답했습니다.

“당신은 무엇을 할 건가요?” D.W.가 물었습니다.

“뭘 할 거냐고?” 메리 무 카우가 말했습니다. “나는—
당연히, 너희를 즐겁게 해 줄 거지!”

“먼저 나의 엄청나게 신기한 마술 쇼를 시작할게.
내가 모자에서 토끼를 꺼내는 걸 봐! 어—나와라, 토끼야.”

“다음으로, 내 용감하고 굉장한 묘기를 봐.
내가 소일지는 몰라도, 겁쟁이는 아니야!”

“그리고 마지막이지만 못지 않게 중요한 순서로, 너희는 각자 세계적으로 유명하고, 거칠고 미친 듯이 신나는 소 타기 놀이들 가운데 한 가지를 해 볼 수 있지. 나는 그것들을—밀크셰이크라고 부른단다!”

떠나야 할 시간이 되었을 때, 아무도 가고 싶어 하지 않았습니다.

"정말 재미있었어." 에밀리가 말했습니다.

"멋진 밀크셰이크였어." 토미가 말했습니다.

"또, 어쩌면 우리 생일 파티에

메리 무 카우가 와도 좋을 것 같아." 티미가 말했습니다.

“아서 오빠.” D.W.가 말했습니다. “그건 이제까지 내가 본 것 중에서 가장 엉망인 메리 무 카우 흉내였어.”

“그랬어?” 아서가 말했습니다.

D.W.가 그를 안아 주었습니다.

“하지만 그건 내가 오늘 받은 것 중에서 최고의 선물이었어!”

Activities

영어 원서를 총 네 개의 파트로 나누어,
각 파트별로 다양한 액티비티를 담았습니다.

각 파트의 영어 원서 페이지는 롱테일북스에서 출간된
'롱테일 에디션'을 기준으로 합니다!

Vocabulary Part 1

생일

birthday

풍선

balloon

(장식용) 색 테이프

streamer

요구하다

demand

상기시키다, 생각나게 하다

remind

손님

guest

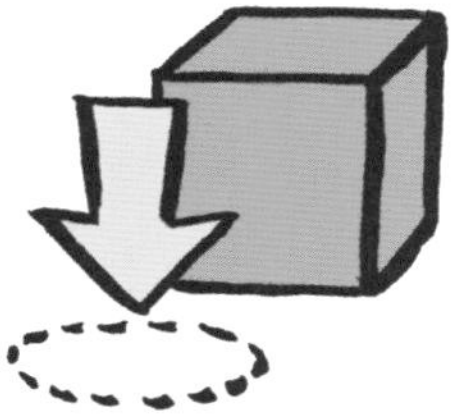

앞쪽의

front

쌍둥이

twin

~의 뒤에

behind

먹다

eat

같이, 함께

together

노래하다 (과거형 sang)

sing

(입으로) 불다, (바람에) 날리다
(과거형 blew)

blow

양초, 초

candle

선물

present

보다, 보이다

look

창문

window

뜻밖의 일, 놀라운 소식

surprise

Word Review Part 1

A 알파벳을 바르게 배열하여 그림에 맞게 단어를 완성해 보세요.

1
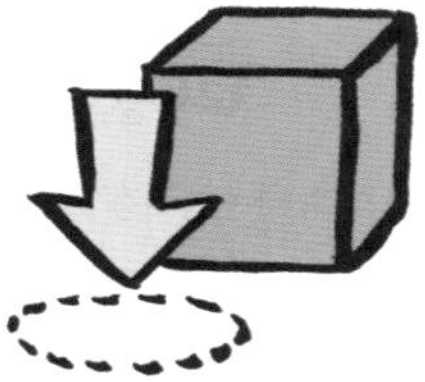

o n f t r

f

2

n w i t

3

l w o b

B 알파벳을 바르게 써넣어 그림에 알맞은 단어를 완성해 보세요.

1

w i ___ d o

2

s ___ r e ___ m ___ r

3

t ___ g e ___ h e r

C 그림을 보고 알맞은 단어를 퍼즐에서 찾은 뒤, 빈칸에 단어를 써 보세요.

d	a	b	l	n	g	m	s
e	t	m	k	j	u	r	u
m	s	a	e	k	e	i	r
a	q	l	d	n	s	o	p
n	o	u	s	k	t	b	r
d	r	e	a	t	y	e	i
i	t	g	u	o	m	c	s
o	e	c	a	n	d	l	e

1

guest

2

3

4

5

Wrap Up! Part 1

A 이야기의 순서에 맞게 번호를 적어 보세요.

The guests rang the doorbell.

1

D.W's birthday party was about to start.

Everyone ate their cake.

D.W. opened the door for her guests.

B 각 단어에 알맞은 그림을 찾고, 이를 설명하는 문장을 찾아 바르게 이어 보세요.

- birthday
- balloon
- twin
- present

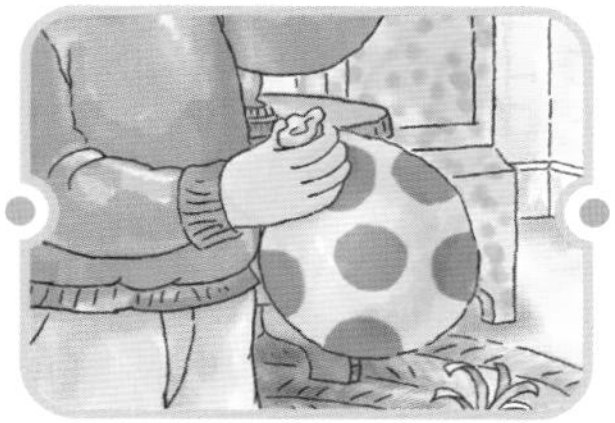

- It was D.W.'s birthday.
- The Tibble twins came with Emily.
- D.W. opened her presents.
- D.W. asked for more balloons.

C 다음 그림을 보고 아래의 단어를 알맞게 넣어 문장을 완성해 보세요.

surprise looking sang

1 Everyone ________ Happy Birthday to D.W.

2 D.W. kept ________ out the window the whole time.

3 D.W. waited for a ________ .

D 책의 내용과 일치하면 TRUE에, 그렇지 않으면 FALSE에 동그라미를 그려 보세요.

1. It was Arthur's birthday. TRUE FALSE
2. D.W. demanded more balloons and streamers. TRUE FALSE
3. The Tibble twins asked D.W. when to eat. TRUE FALSE
4. D.W. opened the window for a surprise. TRUE FALSE

E 다음 질문에 대한 알맞은 답을 골라 보세요.

Which question did D.W.'s guests NOT ask?

a "When do we eat?"

b "Where are the candles?"

c "What are you waiting for?"

Let's Write! Part 1

A 우리말에 맞게 알맞은 짝을 찾아 바르게 연결하고 완성된 문장을 두 번씩 써 보세요.

1 Her party was	to the front door.
2 She ran	waiting for?
3 D.W. blew out	about to start.
4 What are you	her candles.

1 그녀의 파티가 막 시작되려고 했습니다.

Her party was about to start.

2 그녀는 현관으로 뛰어갔습니다.

3 D.W.가 그녀의 촛불을 불었습니다.

4 너 무엇을 기다리는 거야?

Vocabulary Part 2

전화, 전화기

phone

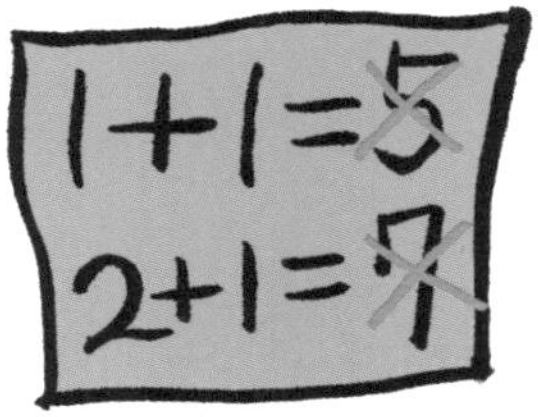

문제가 있는, 잘못된

wrong

염려하는, 두려워하는

afraid

젖소, 암소

cow

느끼다, (감정, 기분이) 들다

feel

아픈, 병든

sick

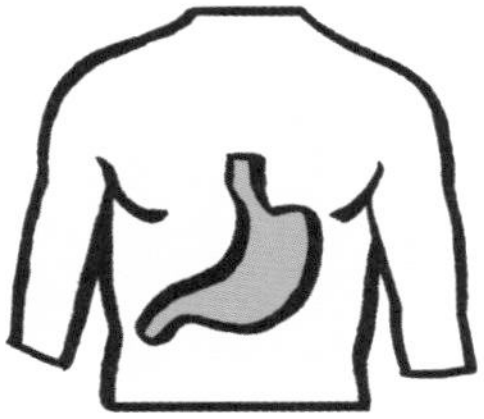

배, 위

stomach

의미하다

mean

알다

know

궁금해하다

wonder

보라색의; 보라색

purple

망치다, 엉망으로 만들다

ruin

투덜거리다, 불평하다

moan

(게임을) 하다, 놀다

play

(핀으로) 고정시키다

pin

꼬리

tail

당나귀

donkey

중얼거리다

mutter

Word Review Part 2

A 알파벳을 이어서 알맞은 그림과 연결하고, 빈칸에 완성된 단어를 써 보세요.

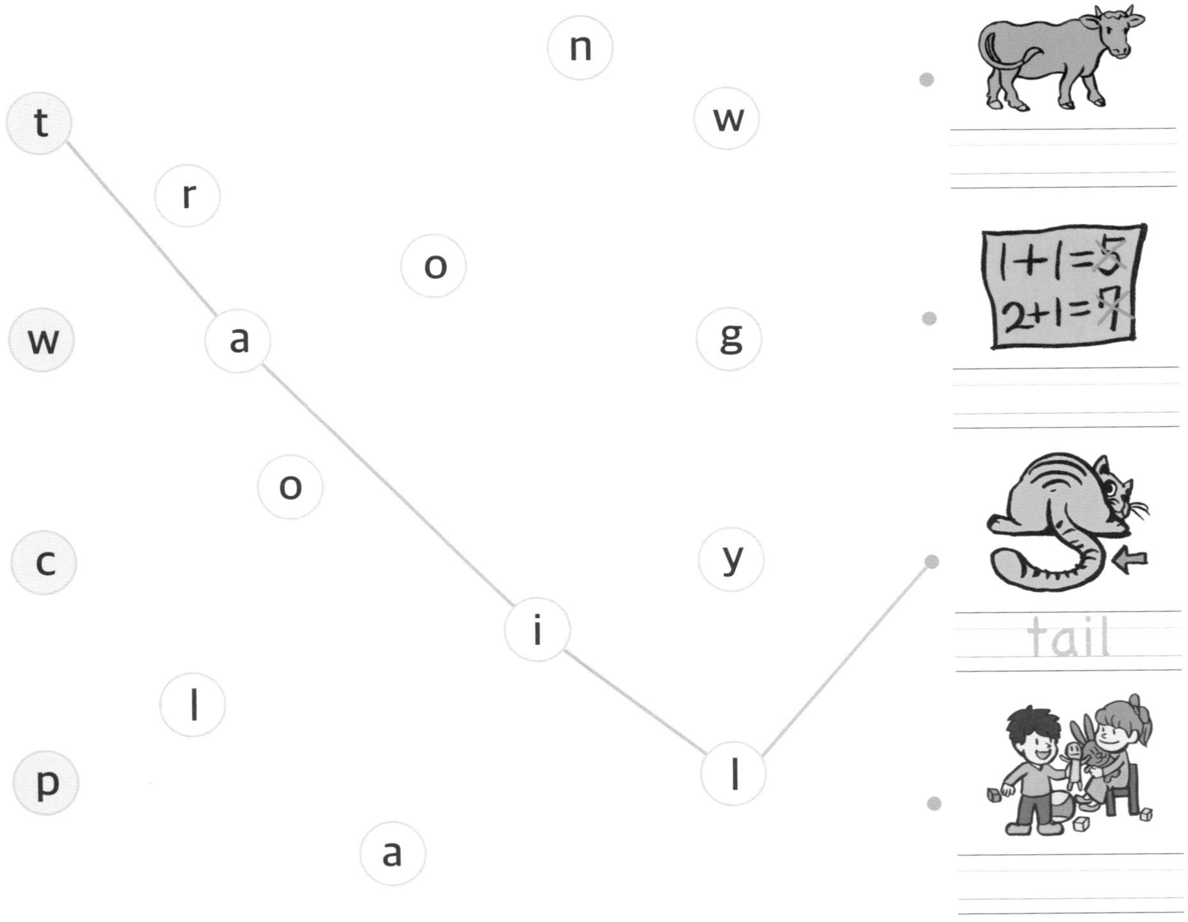

B 그림을 보고 같은 색깔의 알파벳을 바르게 배열하여 빈칸에 써 보세요.

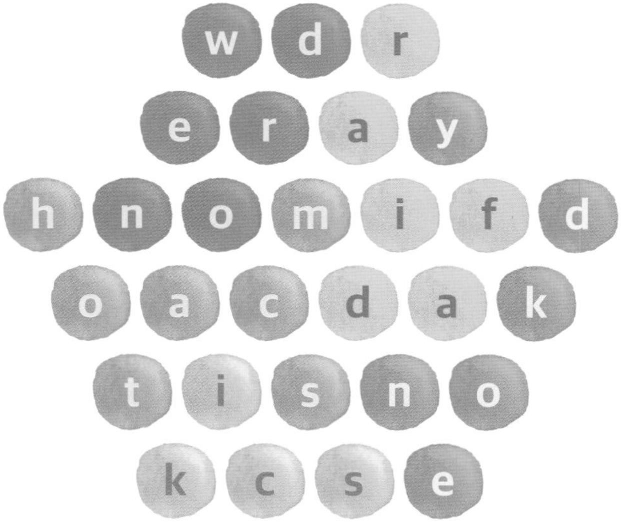

1

afraid

2

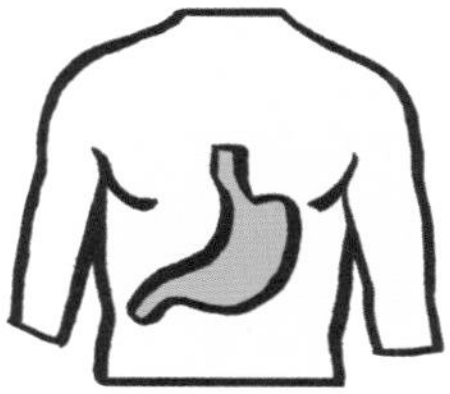

3

4

5

A 이야기의 순서에 맞게 번호를 적어 보세요.

The Tibble twins wondered how Mary Moo Cow looked.

Dad looked for the tail to play the game.

Dad wanted D.W. to have fun.

Dad answered the phone.

B 두 개의 문장 중 오른쪽에 있는 그림을 바르게 설명하는 문장을 골라 보세요.

1

ⓐ D.W. said good-bye to her guests.

ⓑ D.W. asked Dad what was wrong.

2

ⓐ Dad said that Mary Moo Cow was coming.

ⓑ Dad said that Mary Moo Cow felt sick.

3

ⓐ D.W. thought that her party was ruined.

ⓑ D.W. thought that her party was fun.

4

ⓐ Dad wanted to play some games.

ⓑ Dad wanted to meet the donkey in person.

C 다음 그림을 보고 아래의 단어를 알맞게 넣어 문장을 완성해 보세요.

phone knew feeling

1. The ______ rang while everyone was eating their cake.

2. Mary Moo Cow was not ______ great.

3. Emily ______ that cows have four stomachs.

D 책의 내용과 일치하면 TRUE에, 그렇지 않으면 FALSE에 동그라미를 그려 보세요.

1. Mary Moo Cow came to the party with the Tibble twins. TRUE FALSE
2. Timmy wanted to meet Mary Moo Cow. TRUE FALSE
3. Dad ruined D.W.'s birthday party. TRUE FALSE
4. D.W. played Pin the Tail on the Donkey. TRUE FALSE

E 다음 질문에 대한 알맞은 답을 골라 보세요.

Why couldn't Mary Moo Cow come?

a. She felt sick to her stomach.

b. She went to the wrong party.

c. She was playing Pin the Tail on the Donkey.

Let's Write! Part 2

A 오늘 공부한 문장을 따라 써 보세요.

1 바로 그때, 전화가 울렸습니다.

Just then, the phone rang.

2 안타깝지만 메리 무 카우가 올 수 없다고 하는구나.

I'm afraid Mary Moo Cow can't come.

3 그녀는 배가 아프다고 하네.

She's feeling sick to her stomach.

4 난 그녀가 실제로도 보라색으로 보이는지 궁금한걸.

I wonder if she looks as purple in person.

5 우리 게임을 하자.

Let's play some games.

6 꼬리가 여기 어디에 있을 텐데.

I know that tail's in here somewhere.

Vocabulary Part 3

기적적인

miraculous

회복

recovery

대답하다

answer

찍찍거리는

squeaky

목소리

voice

즐겁게 하다

entertain

놀라운, 멋진

amazing

마술, 마법

magic

공연, 대회; 보여 주다

show

보다

watch

당기다, 끌어당기다

pull

토끼

rabbit

모자

hat

눈 앞에서 보다, 목격하다

witness

믿을 수 없는, 믿기 힘든

incredible

묘기, 재주

feat

용감함

daring

겁쟁이

coward

Word Review Part 3

A 그림을 보고 알파벳 속에서 맞는 단어를 찾아 빈칸에 써 보세요.

amimagicwaervoicedbtanswerafpullnepwitnessotprmiraculousqus

1 

magic

2 

3 

4 

5 

6 

B 그림을 보고 알맞은 단어를 퍼즐에 넣어 완성한 뒤, 빈칸에 단어를 써 보세요.

ⓐ c				❶ r		
				a		
				b		
❷ w				b		
ⓑ a				i		
				t		
ⓒ h						

❶

rabbit

❷

ⓐ

ⓑ

ⓒ

Wrap Up! Part 3

A 이야기의 순서에 맞게 번호를 적어 보세요.

D.W. asked Mary Moo Cow what she was going to do.

D.W. and her friends watched Mary Moo Cow's great show.

Emily saw Mary Moo Cow coming.

Mary Moo Cow wanted to entertain D.W. and her friends.

B 그림의 각 부분을 올바르게 설명하는 문장을 찾아 빈칸에 맞는 기호를 넣어 보세요.

ⓐ Mary Moo Cow entertained everyone.

ⓑ Everyone watched Mary Moo Cow's magic show.

ⓒ Mary Moo Cow said that her magic show was amazing.

ⓓ A rabbit came out of Mary Moo Cow's hat.

C 다음 그림을 보고 아래의 단어를 알맞게 넣어 문장을 완성해 보세요.

squeaky entertained recovery

1. Mary Moo Cow came after a miraculous ____________ .

2. Mary Moo Cow had a ____________ voice.

3. Mary Moo Cow ____________ D.W. and her friends.

D 책의 내용과 일치하면 TRUE에, 그렇지 않으면 FALSE에 동그라미를 그려 보세요.

1. D.W. thought that Mary Moo Cow would recover. TRUE FALSE
2. Mary Moo Cow pulled out a real rabbit for her first show. TRUE FALSE
3. Mary Moo Cow showed her feats of daring. TRUE FALSE
4. Everyone thought that Mary Moo Cow was a coward. TRUE FALSE

E 다음 질문에 대한 알맞은 답을 골라 보세요.

What was NOT a part of Mary Moo Cow's show?

a. Daring feats

b. A magic show

c. A squeaky singing

Let's Write! Part 3

A 우리말에 맞게 네모 안에 있는 말을 바르게 배열해 보세요.

1 저는 당신이 못 올 거라고 생각했는데요.

I	you	thought	couldn't come
나는	당신이	생각했다	못 올 거라고

I thought ____.

2 나는 기적적인 회복을 했단다.

a miraculous recovery	I	made
기적적인 회복을	나는	했다

____.

3 그녀가 끽끽거리는 목소리로 대답했습니다.

answered	in a squeaky voice	She
대답했다	끽끽거리는 목소리로	그녀가

____.

4 나는 너희를 즐겁게 해 줄 거지!

I'm going to	you	entertain
나는 ~해 줄 것이다	너희를	즐겁게 하다

!

5 내가 모자에서 토끼를 꺼내는 걸 봐!

as I pull	Watch	out of a hat	a rabbit
내가 꺼내는 것을	봐라	모자에서	토끼를

!

6 내 용감하고 굉장한 묘기를 봐.

my incredible feats	Witness	of daring
나의 굉장한 묘기를	봐라	용감한

.

Vocabulary Part 4

마지막의

last

하찮은

least

자격을 주다

entitle

유명한

famous

(말, 자동차 등을) 타기

ride

부르다

call

셰이크; 흔들다

shake

떠나다, 남기다

leave

원하다

want

재미있는; 재미

fun

끝내주는, 엄청난

awesome

파티

party

가장 못한, 최악의

worst

흉내 내기, 모방

imitation

보다 (과거분사형 seen)

see

주다 (과거형 gave)

give

껴안기, 포옹

hug

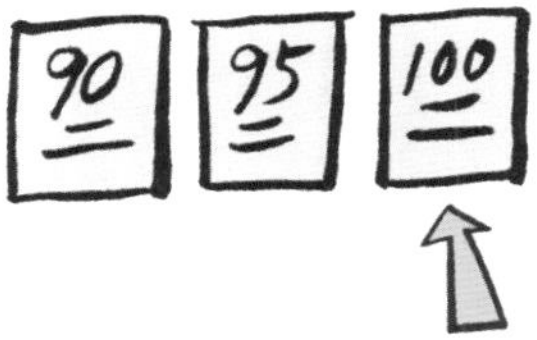

최고의, 가장 좋은

best

Word Review Part 4

A 알파벳을 바르게 배열하여 그림에 맞게 단어를 완성해 보세요.

1

t w n a

2

t o r w s

3

g h u

B 알파벳을 바르게 써넣어 그림에 알맞은 단어를 완성해 보세요.

1

ent t e

2

a eso e

3

l a e

C 그림을 보고 알맞은 단어를 퍼즐에서 찾은 뒤, 빈칸에 단어를 써 보세요.

l	w	s	h	a	k	e	r
u	f	o	r	d	o	u	i
n	v	b	c	a	t	s	l
e	l	t	y	r	e	p	a
h	e	q	b	j	l	k	s
f	a	m	o	u	s	o	t
c	s	n	w	c	e	g	m
z	t	x	b	e	s	t	y

1

2

3

4

5

Wrap Up! Part 4

A 이야기의 순서에 맞게 번호를 적어 보세요.

Mary Moo Cow entertained everyone with her rides.

D.W. thought that she got the best present.

It was Arthur who imitated Mary Moo Cow.

D.W.'s friends had fun at the party.

B 각 단어에 알맞은 그림을 찾고, 이를 설명하는 문장을 찾아 바르게 이어 보세요.

ride		D.W. hugged Arthur.
leave		D.W. enjoyed Mary Moo Cow's rides.
imitation		Arthur's imitation was not that great.
hug		It was time to leave.

C 다음 그림을 보고 아래의 단어를 알맞게 넣어 문장을 완성해 보세요.

rides wild entitled

1 Everyone was __________ to one of Mary Moo Cow's rides.

2 Mary Moo Cow called the __________ Milk Shakes.

3 Milk Shakes were world-famous and __________ .

D 책의 내용과 일치하면 TRUE에, 그렇지 않으면 FALSE에 동그라미를 그려 보세요.

1. Everyone wanted to leave early. TRUE FALSE
2. Tommy thought that the rides were awesome. TRUE FALSE
3. Arthur gave the best imitation of Mary Moo Cow. TRUE FALSE
4. D.W.'s birthday party was ruined by Arthur's bad imitation. TRUE FALSE

E 다음 질문에 대한 알맞은 답을 골라 보세요.

What did D.W. say when she hugged Arthur?

a. It was the best present.

b. No one knew that it was Arthur.

c. She wanted to do Milk Shakes again.

Let's Write! Part 4

A 우리말에 맞게 알맞은 짝을 찾아 바르게 연결하고 완성된 문장을 두 번씩 써 보세요.

1 I call them •	• Milk Shakes!
2 It was time •	• a hug.
3 No one •	• wanted to go.
4 D.W. gave him •	• to leave.

1. 나는 그것들을 밀크셰이크라고 부른단다!

2. 떠나야 할 시간이 되었습니다.

3. 아무도 가고 싶어 하지 않았습니다.

4. D.W.가 그를 안아 주었습니다.

Answers

Part 1

Word Review

A

1 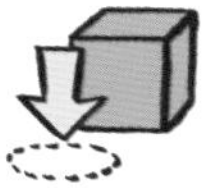

o n f t r

front

2 

n w i t

twin

3 

l w o b

blow

B

1 

window

2 

streamer

3 

together

C

d	a	b	l	n	g	m	s
e	t	m	k	j	u	r	u
m	s	a	e	k	e	i	r
a	q	l	d	n	s	o	p
n	o	u	s	k	t	b	r
d	r	e	a	t	y	e	i
i	t	g	u	o	m	c	s
o	e	c	a	n	d	l	e

1 

guest

2 

surprise

3 

candle

4 

eat

5 

demand

Wrap Up!

A

2 The guests rang the doorbell.

1 D.W's birthday party was about to start.

4 Everyone ate their cake.

3 D.W. opened the door for her guests.

B

birthday

balloon

twin

present

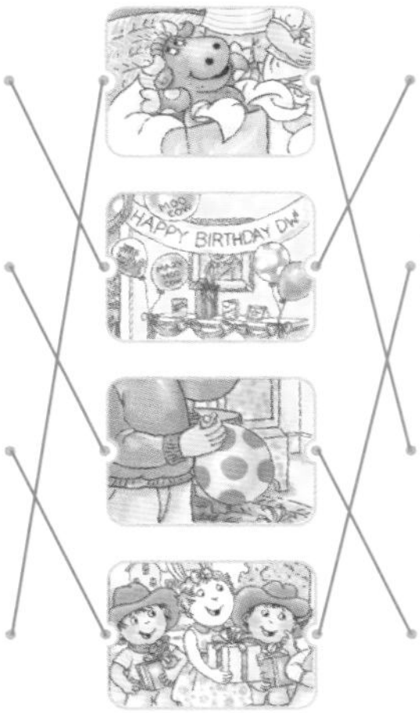

It was D.W.'s birthday.

The Tibble twins came with Emily.

D.W. opened her presents.

D.W. asked for more balloons.

C

1. Everyone **sang** Happy Birthday to D.W.
2. D.W. kept **looking** out the window the whole time.
3. D.W. waited for a **surprise** .

D 1 FALSE 2 TRUE 3 TRUE 4 FALSE

E b

Let's Write!

A

1 Her party was	to the front door.
2 She ran	waiting for?
3 D.W. blew out	about to start.
4 What are you	her candles.

Part 2

Word Review

A

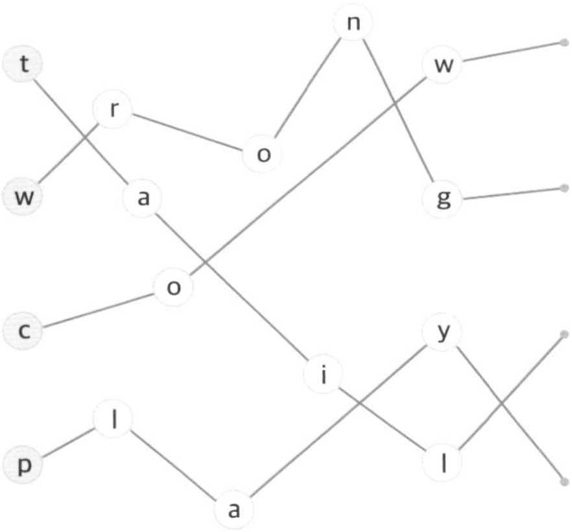

cow

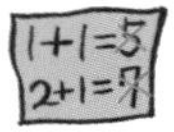

wrong

tail

play

B

w d r
e r a y
h n o m i f d
o a c d a k
t i s n o
k c s e

1 

afraid

2 

stomach

3 

wonder

4 

donkey

5 

sick

Wrap Up!

A

2

The Tibble twins wondered how Mary Moo Cow looked.

4

Dad looked for the tail to play the game.

3

Dad wanted D.W. to have fun.

1

Dad answered the phone.

B

1 b 2 b 3 a 4 a

C

1 The phone rang while everyone was eating their cake.

2 Mary Moo Cow was not feeling great.

3 Emily knew that cows have four stomachs.

D

1 FALSE 2 TRUE 3 FALSE 4 FALSE

E

a

Part 3

Word Review

A

amimagicwaervoicedbtanswerafpullnepwitnessotprmiraculousqus

1

magic

2

answer

3

voice

4

pull

5

witness

6

miraculous

B

(a) c	o	w	a	(1) r	d	
				a		
				b		
(2) w				b		
(b) a	m	a	z	i	n	g
t				t		
c						
(c) h	a	t				

1

rabbit

2

watch

a

coward

b

amazing

c

hat

Wrap Up!

A

D.W. asked Mary Moo Cow what she was going to do.

D.W. and her friends watched Mary Moo Cow's great show.

Emily saw Mary Moo Cow coming.

Mary Moo Cow wanted to entertain D.W. and her friends.

B

C

1 Mary Moo Cow came after a miraculous recovery .

2 Mary Moo Cow had a squeaky voice.

3 Mary Moo Cow entertained D.W. and her friends.

D

1 FALSE 2 FALSE 3 TRUE 4 FALSE

E

c

Let's Write!

A

1 I thought you couldn't come.
2 I made a miraculous recovery.
3 She answered in a squeaky voice.
4 I'm going to entertain you!
5 Watch as I pull a rabbit out of a hat!
6 Witness my incredible feats of daring.

Part 4

Word Review

A

1 

t w n a

want

2 

t o r w s

worst

3 

g h u

hug

B

1 

entitle

2 

awesome

3 

leave

C

l	w	s	h	a	k	e	r
u	f	o	r	d	o	u	i
n	v	b	c	a	t	s	l
e	l	t	y	r	e	p	a
h	e	q	b	j	l	k	s
f	a	m	o	u	s	o	t
c	s	n	w	c	e	g	m
z	t	x	b	e	s	t	y

1 

last

2 

least

3 

famous

4 

shake

5 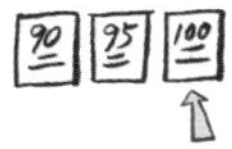

best

Wrap Up!

A

1 

Mary Moo Cow entertained everyone with her rides.

4 

D.W. thought that she got the best present.

3 

It was Arthur who imitated Mary Moo Cow.

2 

D.W.'s friends had fun at the party.

B

ride

leave

imitation

hug

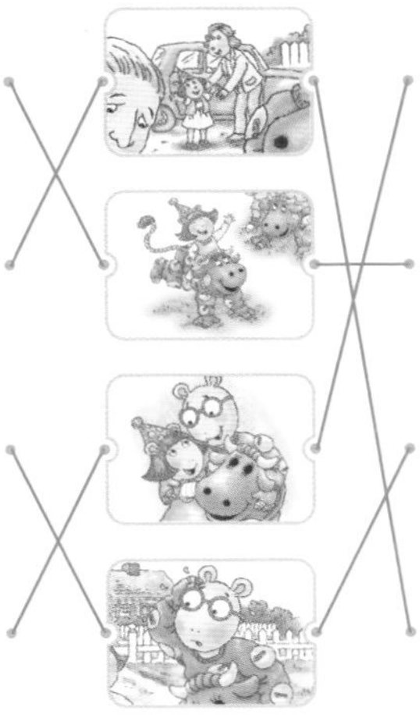

D.W. hugged Arthur.

D.W. enjoyed Mary Moo Cow's rides.

Arthur's imitation was not that great.

It was time to leave.

C

1. Everyone was entitled to one of Mary Moo Cow's rides.
2. Mary Moo Cow called the rides Milk Shakes.
3. Milk Shakes were world-famous and wild .

D 1 FALSE 2 TRUE 3 FALSE 4 FALSE

E a

Let's Write!

A

1. I call them — Milk Shakes!
2. It was time — to leave.
3. No one — wanted to go.
4. D.W. gave him — a hug.

More Arthur Stories to Read!

01 Arthur and the Big Snow
02 Arthur and the Dog Show
03 Arthur Helps Out
04 Arthur Jumps into Fall
05 Arthur Tells a Story
06 Arthur to the Rescue
07 Arthur's Birthday Surprise
08 Arthur's Heart Mix-Up
09 Arthur's Homework
10 Arthur's Jelly Beans
11 Arthur's Mystery Babysitter
12 Arthur's Off to School
13 Arthur's Tree House

재미있는 내용을 쉬운 문장과 간결한 표현으로 풀어 낸 기초 원서,
『아서 스타터(Arthur Starter)』 시리즈

아이들의 눈높이에 맞춘 유쾌한 이야기!
실생활에 바로 적용할 수 있는 영어 표현!

아서의 깜짝 생일 선물

초판 발행 2022년 1월 3일

글·그림 마크 브라운
번역및콘텐츠감수 유아름 정소이
콘텐츠제작참여 기나현 선생님(경기 고양 일산중) 김수정 선생님(경기 부천 계남초)
이재영 선생님(서울 영등포 영림초) 임소연 선생님(경기 동두천 생연초)
영문감수 Julie Tofflemire
책임편집 유아름 정소이 김보경
디자인 모희정 이강효
저작권 김보경
마케팅 김보미 정경훈

기획 김승규
펴낸이 이수영
펴낸곳 롱테일북스
출판등록 제2015-000191호
주소 04033 서울특별시 마포구 양화로 113(서교동) 3층
전자메일 helper@longtailbooks.co.kr

ISBN 979-11-91343-31-1 14740